D0297203

Données de catalogage avant publication (Canada)

Papineau, Lucie
Casse-Noisette
Pour les jeunes de 4 à 8 ans.
ISBN: 2-7625-8407-8
I. Jorisch, Stéphane. II. Titre.

PS8581.A6658C37 1996 jC843'.54 C96-941184-7
PS9581.A6658C37 1996
PZ23.P36Ca 1996

Conception graphique: Claude Bernard

Dépôts légaux: 4e trimestre 1996
Bibliothèque nationale du Québec
Bibliothèque nationale du Canada

ISBN: 2-7625-8407-8
Imprimé au Canada

LES ÉDITIONS HÉRITAGE INC.
300, rue Arran, Saint-Lambert (Québec) J4R 1K5
Téléphone: (514) 875-0327
Télécopieur: (514) 672-5448
Courrier électronique: heritage@mlink.net

Les éditions Héritage inc. remercient le Conseil des Arts du Canada du soutien accordé à leur programe d'édition dans le cadre du programme des subventions globales aux éditeurs.

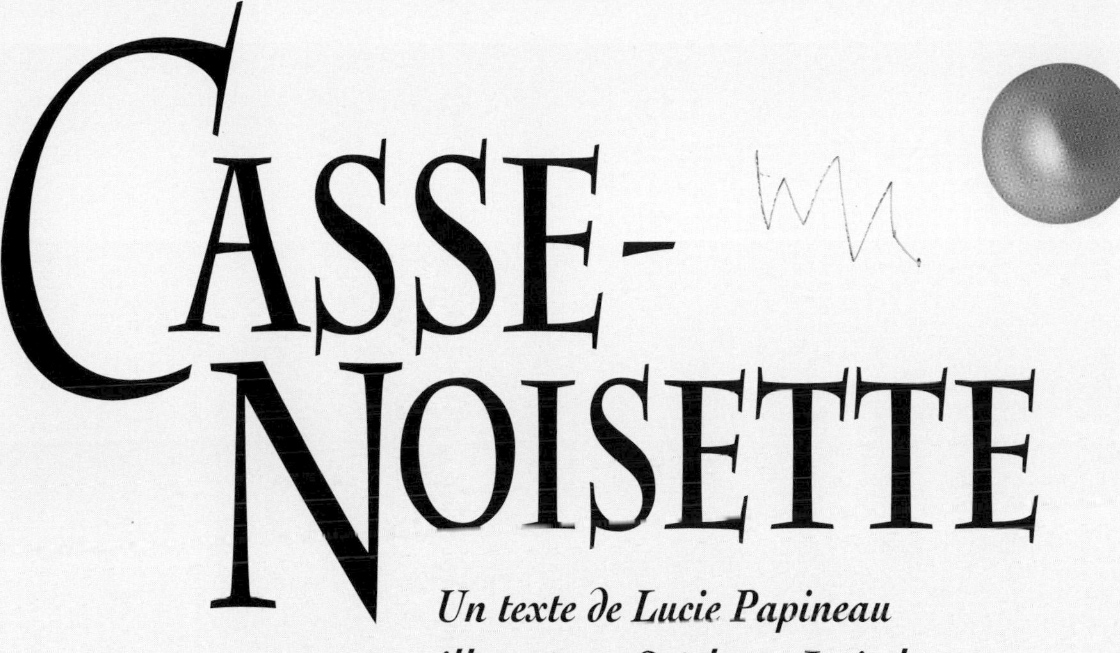

Un texte de Lucie Papineau
illustré par Stéphane Jorisch

PRÉFACE

Casse-Noisette, conte de Noël pour enfants où le fantastique se mêle délicieusement à la réalité, a été conçu dès le début du XIXe siècle par l'écrivain et compositeur allemand Ernst Theodor Hoffmann. Il s'intitulait alors: *Casse Noisette et le roi des rats.* Alexandre Dumas père, célèbre romancier français, en fit, vers la fin du même siècle, une influente adaptation de laquelle s'inspira le compositeur russe Petr Ilitch Tchaïkovski pour son fameux ballet *Casse-Noisette,* chorégraphié par son compatriote Lev Ivanov. La première mondiale eut lieu le 17 décembre 1892, au théâtre impérial Mariinski de Saint-Petersbourg. Depuis lors, on ne compte plus les nouvelles productions, un peu partout dans le monde, de ce ballet enchanteur.

Qu'on puisse, presque deux siècles après l'œuvre originale d'Hoffmann, songer à en publier, après tant d'autres, une nouvelle adaptation, démontre, une fois de plus, le pouvoir pour ainsi dire éternel d'une belle histoire sur l'imagination humaine, en l'occurrence sur celle des enfants, au temps toujours magique des grandes fêtes de Noël et du jour de l'An.

Je ne peux que rendre un vif hommage à tous ceux et celles qui ont contribué à la conception et à la réalisation de ce charmant petit livre.

Fernand Nault

Fernand Nault
chorégraphe
Les Grands Ballets Canadiens

Il était une fois Clara…

Et il était une fois Noël !

Pour Clara, comme pour tous les enfants, la nuit de Noël est la plus merveilleuse de l'année. Celle où tout peut arriver…

Toc toc toc !

Mais qu'est-ce que c'est ?

Comme il fait noir tout à coup, comme il fait nuit ! Assis en demi-lune, les enfants retiennent leur souffle. Personne ne sait ce qui va se passer.

Un, deux, trois... magie ! Dans le cercle de lumière, caché sous sa cape de velours, voici Oncle Drosselmeyer ! Son haut-de-forme noir danse sur son front tout blanc. Va-t-il faire apparaître un lapin gris ou une douce colombe ?

Surprise ! On ne voit ni lapin ni colombe, mais un drôle de bonhomme de bois. Ses joues rondes chatouillent son large sourire. C'est le cadeau de Clara: un vrai de vrai Casse-Noisette, sorti tout droit du ventre d'un chapeau magique !

Et craquent les noisettes… Et croquent les pistaches… Pas une noix ne résiste aux dents de Casse-Noisette !

— Donne-le-moi, Clara, donne-le-moi !

Quand Clara reçoit un cadeau, Fritz veut s'en emparer. C'est toujours comme ça. Mais pas cette fois !

— Non, Fritz, il est à moi !

Pousse, tire, tire et pousse…
Oh, zut ! Casse-Noisette est tombé.
Le voilà tout brisé !

Oncle Drosselmeyer, sans rien dire, fait le pied de nez aux larmes de Clara. Et un, deux, trois… magie ! De son chapeau, il tire un grand foulard qu'il noue sur la tête du petit blessé.

Clara éclate de rire. Son Casse-Noisette ressemble à un pirate de conte de fées !

Pfffff… Le temps s'est envolé, comme si le vent l'avait balayé. Clara, seule dans sa chambre, ne peut fermer l'œil. Sans bruit, elle descend les marches du grand escalier.

Casse-Noisette est là, au pied de l'arbre, dans son petit lit de bois trop froid. Clara le soulève tendrement et le berce sur son cœur. Elle lui invente une chanson douce, juste pour lui. Puis elle se glisse sous le grand châle de maman, son cadeau favori entre ses bras.

Dong dong dong dong! sonnent les douze coups de minuit.

Dong dong dong dong! tournent les aiguilles en folie.

Dong dong dong dong! murmure le sapin qui grandit.

Qui grandit? N'est-ce pas plutôt Clara qui rapetisse?

On dirait que tout a changé. Dans l'arbre de Noël, les petits anges joufflus sourient de toutes leurs dents pointues.

Comme ils ont de longues dents, ces anges ricaneurs, et comme ils ont de longs museaux sous leurs longues moustaches !

Ça alors ! Ce ne sont pas des anges, mais d'énormes souris affamées qui grignotent tout sur leur passage ! Les cannes en bonbon, les pommes de sucre candi, les pains d'épice aussi… et même les petits soldats de bois !

Il faut faire quelque chose ! Sans plus réfléchir, Clara retire la manette brisée du dos de Casse-Noisette.

Puis, du même élan, elle la place entre les doigts de son cadeau.

Un œil à la fois,
son ami perd son
regard de bois.
Il lui sourit:
il est vivant!

— Merci, Clara… Grâce à toi,
j'ai retrouvé mon épée magique!

Et hop! Clara et son ami sautent du fauteuil géant. Avec son épée, Casse-Noisette touche l'épaule de chaque soldat. Et hop! Ceux-ci frottent leurs yeux, comme au sortir d'un long sommeil.

— À l'attaque! crie aussitôt le premier soldat.

Apeurées, les souris poussent des cris en roulant des yeux ronds comme des boutons. Elles appellent leur reine, qui saute sur le plancher en ricanant.

Au secours! La terrible reine est derrière Casse-Noisette, qui ne l'a pas vue approcher. De toutes ses forces, Clara lance sa pantoufle… à côté de la méchante souris! Heureusement, Casse-Noisette l'a entendue tomber. Il se retourne, juste à temps pour toucher la reine de son épée magique.

Ouf! Il est sauvé!

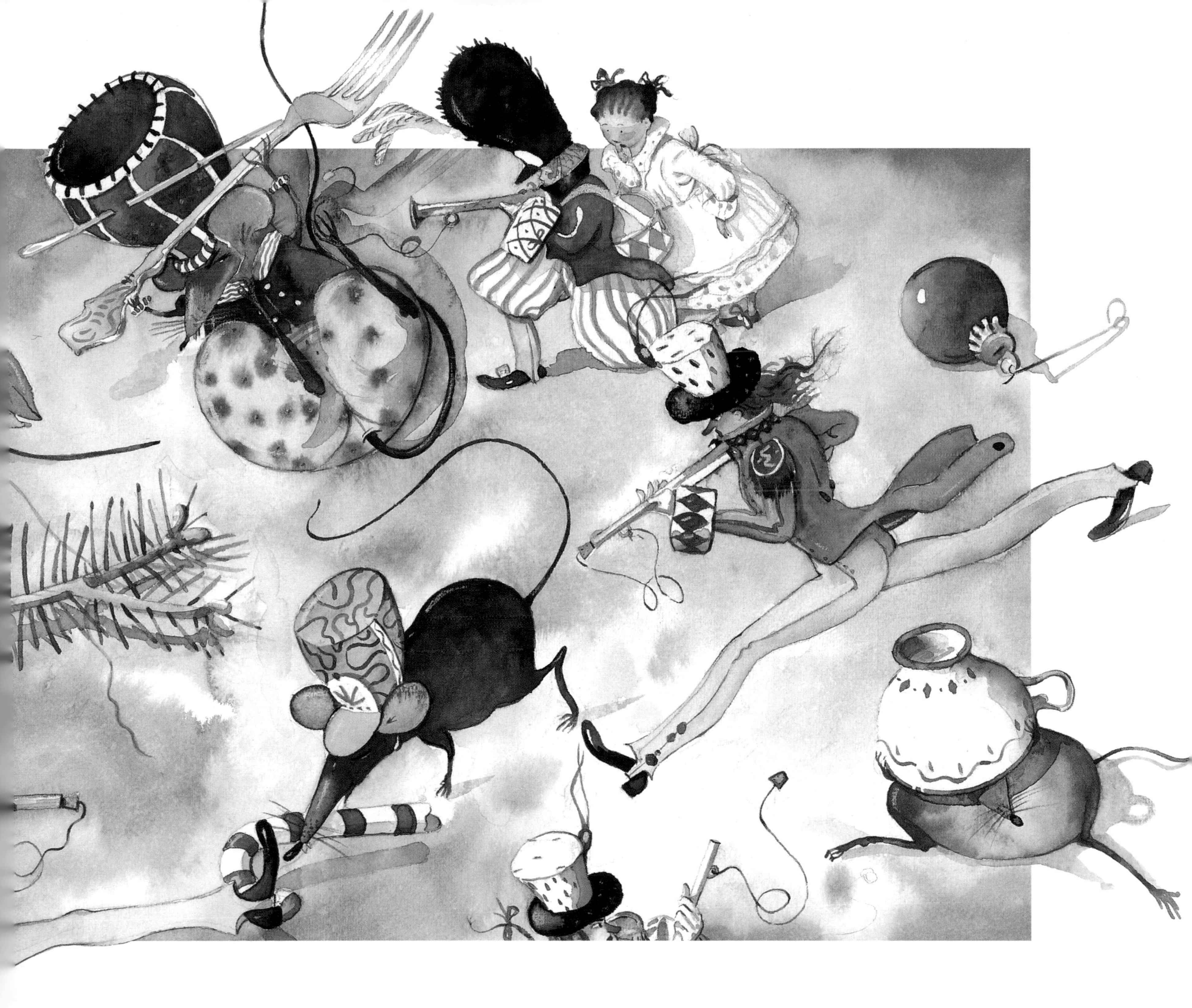

— Hourra ! Hourra ! clament les soldats… Nous avons gagné !

La reine des Souris boude dans son coin : Casse-Noisette s'est emparé de sa couronne ! C'est lui le prince de la plus merveilleuse nuit de l'année… Et sa princesse, c'est Clara.

— En route ! dit Casse-Noisette. Les souris ont perdu. Qu'elles nous conduisent maintenant au Royaume des sucreries.

— Hourra ! Hourra ! répètent les soldats.

Assis sur le dos des souris qui sourient, ils sont déjà prêts pour le grand voyage… Derrière le sapin, sous le lourd rideau de velours, se cache l'entrée secrète du Royaume des sucreries.

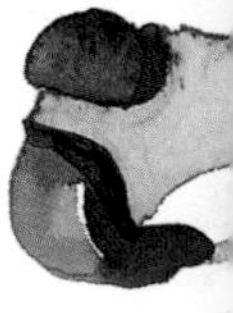

En catimini, à pas tout petits, nos amis s'enfoncent dans le labyrinthe de tunnels obscurs. Et trottent, trottent les souris, derrière les murs et sous les planchers. Où cela va-t-il mener Clara, son prince et les courageux soldats?

Et trottent, trottent les souris, dans les sentiers secrets des galeries. Vont-ils enfin arriver?

Les voici devant un immense pont-levis. Au petit trot ou au grand galop, ils franchissent le lac Kiwi en riant aux éclats.

De l'autre côté les attendent les cannes en bonbon, les bonshommes de pain d'épice et les fleurs de sucre d'orge. De l'autre côté coulent des rivières de miel, poussent des forêts de nougat et brillent des soleils de chocolat.

Casse-Noisette et Clara s'amusent à glisser sur la rivière sucrée… Les bateaux en melon d'eau, c'est fait pour ça !

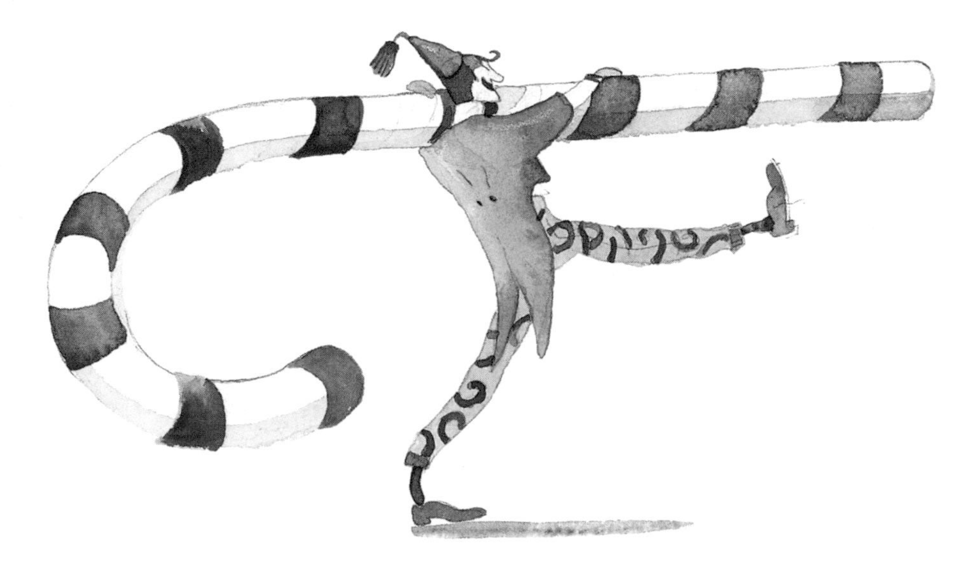

Que se passe-t-il ?

On prépare la fête au Royaume des sucreries ! Une fête comme Clara n'en a jamais vu…

Les pâtissiers dansent le cha-cha-cha, les confiseurs jouent la valse des poires au chocolat, les boulangers ronflent sur la plage de sucre praliné.

Clara retient son souffle… et entre dans l'étrange farandole !

Et tournent, tournent
les murs et les plafonds:
c'est la danse des bonbons!
Il pleut des dragées,
les glaces poussent à volonté,
on récolte le nougat...

C'est la fête
au pays magique!

Clara a la tête qui virevolte,
elle a beaucoup trop dansé,
elle a vraiment trop ri...

— Mais où sommes-nous,
Casse-Noisette, le sais-tu ?

Plus de cannes en bonbon,
ni de cha-cha-cha, les voilà
perdus au Royaume des sucreries !
Serait-ce encore un mauvais
tour des souris ?

Comment rentrer maintenant,
comment revoir le sapin illuminé,
maman, papa, Fritz et Oncle
Drosselmeyer ?

Le prince Casse-Noisette,
pour la rassurer, l'embrasse
sur le bout du nez. Puis,
sans un mot, il lui tend son
épée de bois. Doucement,
très doucement, Clara
la replace dans son dos.

Et elle ferme les yeux,
bien fort.

Dong dong dong dong! sonnent
les douze coups de minuit.

Dong dong dong dong! tournent
les aiguilles en folie.

Dong dong dong dong!
Le temps s'était-il arrêté ?

Clara ouvre un œil, puis l'autre…
pour apercevoir le salon endormi,
le sapin beaucoup plus petit
et les bougies toutes soufflées.

Oncle Drosselmeyer, sorti de nulle
part, lui sourit.

Dans ses bras, Casse-Noisette n'est
plus qu'un petit bonhomme de bois,
sans vie. Mais oh, magie ! Sa mâchoire
peut de nouveau bouger, il est réparé…

— Est-ce toi, Oncle Drosselmeyer ?

Pour toute réponse,
le parrain de Clara
met un doigt sur ses lèvres.

Il replace les soldats éparpillés sur
le plancher. Il glisse le pied de sa
nièce dans la pantoufle retrouvée…
au fond de son grand chapeau !

— Joyeux Noël, Clara ! dit-il en
caressant sa joue. Et joyeux Noël
à toi, Casse-Noisette, ajoute-t-il
en saluant de son haut-de-forme
tout noir.

Clara ouvre de grands yeux ronds,
sans rien dire…

C'est qu'elle a bien vu, comme tous
les enfants du monde, le clin d'œil
de son petit bonhomme de bois.

Joyeux Noël, les enfants !